HERBERT VON
KARAJAN

JOHANNES
BRAHMS

Symphonies n° 1, n° 2 & n° 4
Variations sur un thème de Haydn

HERBERT VON KARAJAN

VOLUME 1 LUDWIG VAN BEETHOVEN
Symphonies n°5, n°6 « Pastorale » & n°9 « Avec chœur »
Schwarzkopf, Höffgen, Haefliger, Adelmann
Philharmonia Orchestra and Chorus

VOLUME 2 WOLFGANG AMADEUS MOZART
Concertos pour piano n°20, 21, 23 & 24
W. Kempff, D. Lipatti, W. Gieseking
Philharmonia Orchestra

VOLUME 3 PIOTR ILITCH TCHAÏKOVSKI
Musique de ballet : *Le Lac des cygnes* (suite), *La Belle au bois dormant*
(suite), *Casse-Noisette* (suite), *Ouverture 1812*
Borodine : *Danses polovtsiennes*
Philharmonia Orchestra, Orchestre symphonique de Vienne

VOLUME 4 GEORGES BIZET
Carmen
Simionato, Gedda, Güden, Roux
Orchestre Symphonique de Vienne

VOLUME 5 LUDWIG VAN BEETHOVEN
Concertos pour piano n°3, n°4, n°5 « L'Empereur », Concerto pour violon
Philharmonia Orchestra

VOLUME 6 WOLFGANG AMADEUS MOZART
Les Noces de Figaro
Philharmonia Orchestra

VOLUME 7 JEAN-SÉBASTIEN BACH
Messe en si mineur
Schwarzkopf, Höffgen, Gedda, Rehfuss
Orchestre et Chœurs de la Société des Amis de Vienne

VOLUME 8 FRANZ SCHUBERT
Symphonies n°5, n°8 « Inachevée »
Schumann : *Symphonie n°4, Concerto pour piano*
Philharmonia Orchestra

VOLUME 9 WOLFGANG AMADEUS MOZART
Concerto pour clarinette, Sérénades, Petite musique de nuit...
Philharmonia Orchestra

VOLUME 10 HECTOR BERLIOZ
Symphonie Fantastique
Franck : *Variations Symphoniques,* **Roussel :** *Symphonie n°4*
Philharmonia Orchestra

CRÉDITS

LE FIGARO

Directeur général - directeur de la publication : Francis Morel
Direction du projet: Lionel Rabiet
Direction d'édition: Stéphane Chabenat, Éditions de l'Opportun
Direction artistique: Constance Gournay
Promotion: Émilie Bagault
Fabrication: Marion de Chalonge
Coordination : Ana Sanabria
Maquette: IDzine
Suivi éditorial: Bénédicte Gaillard
Mastering: Art & Son
Photographies: DR, Rue des Archives, Getty

Edité par: La Société du Figaro
14, boulevard Haussmann - 75009 Paris
Tél.: 01 57 08 50 00 - www.lefigaro.fr
Dépôt légal : janvier 2010

ISBN Collection : 978-2-8105-0200-4
ISBN volume n°20 : 978-2-8105-0220-2

Achevé d'imprimer : avril 2010
Fabriqué par Pozzoli (Italie)

Pour toute information ou pour commander
les volumes de la collection qu'il vous manque,
rendez-vous sur notre site
www.lefigaro.fr/karajan

Vous pouvez également nous contacter par téléphone
au 0 810 344 276 (0 810 LE FIGARO*)
* prix d'un appel local

Johannes BRAHMS
(1833–1897)

CD1
Symphonie n° 1 en ut mineur op. 68

1)	I. Un poco sostenuto – Allegro	13'54
2)	II. Andante sostenuto	9'16
3)	III. Un poco allegretto e grazioso	5'00
4)	IV. Adagio – Allegro non troppo, ma con brio	17'16

Enregistré en 1952

Variations sur un thème de Haydn op. 56a

5)	Thème : Chorale St. Antoni : andante	1'51
6)	Variation 1 : poco più animato	1'15
7)	Variation 2 : più vivace	1'00
8)	Variation 3 : con moto	1'34
9)	Variation 4 : andante con moto	2'07
10)	Variation 5 : vivace	0'48
11)	Variation 6 : vivace	1'12
12)	Variation 7 : grazioso	2'30
13)	Variation 8 : presto non troppo	0'55
14)	Finale : andante	4'04

Enregistré en 1955

Symphonie n° 2 en ré majeur op. 73

15)	I. Allegro non troppo	15'52

CD2
Symphonie n° 2 en ré majeur op. 73

1)	II. Adagio non troppo – L'istesso tempo, ma grazioso	9'59
2)	III. Allegretto grazioso (quasi andantino)	5'23
3)	IV. Allegro con spirito	9'07

Enregistré en 1955

Symphonie n° 4 en mi mineur op. 98

4)	I. Allegro non troppo	12'30
5)	II. Andante moderato	10'55
6)	III. Allegro giocoso – Poco meno presto	6'19
7)	IV. Allegro energico e passionato – Più allegro	9'51

Enregistré en 1955
Philharmonia Orchestra
Herbert von Karajan

Herbert von Karajan
une vie en musique...

Le nom d'Herbert von Karajan est, avec ceux de Maria Callas et de Luciano Pavarotti, le seul parmi les vedettes de la musique classique qui ait un rayonnement mondial. De surcroît, comme Maria Callas, mais sur une durée plus longue, Herbert von Karajan a été une vraie star médiatique, une personnalité de la jet-set internationale.

C'est aussi, bien sûr et d'abord, un des plus grands musiciens de l'Histoire de la musique et, assurément, l'image même du chef d'orchestre pour plusieurs générations de spectateurs – d'abord parce qu'il était beau et que sa photogénie s'accorde tout à fait à l'image populaire quant à ce que représente un chef d'orchestre.

C'est enfin le premier artiste à avoir perçu clairement l'apport de la technologie dans la diffusion de la musique, à travers le disque et ses évolutions – puis plus tard à travers l'image.

Personnalité multiple et moderne, Herbert von Karajan a droit, plus que tout autre artiste, à la reconnaissance des mélomanes et des discophiles. Il mérite donc qu'on retrace, à travers sa vie, ses lumières et ses ombres, et à travers ses disques essentiels (parmi les quelque 900 qu'il a enregistrés !), les jalons d'un destin unique si intimement lié à la musique. Car son destin se confond avec cette Histoire de la musique où nous puisons encore aujourd'hui ces bonheurs qui embellissent la vie.

ALAIN DUAULT

HERBERT VON KARAJAN

par Alain Duault

Karajan
et les quatre B

Karajan et les quatre B

S'il a su durant toute sa vie évoluer dans le développement de ses conceptions musicales, Herbert von Karajan a aussi su être constant dans ses goûts. Et si l'opéra a tenu la place essentielle que l'on sait dans cette vie, dans l'affirmation aussi de son empire, il n'en est pas moins pour autant revenu régulièrement à ses fondamentaux que constituaient pour lui le « carré d'as » des compositeurs, le socle de sa *pensée musicale*, les quatre B : Bach, Beethoven, Brahms, Bruckner. Bien sûr, en ce qui concerne Jean-Sébastien Bach, Karajan reste dans l'esprit d'une tradition qui apparaît aujourd'hui en contradiction avec le renouveau baroque opéré par les Harnoncourt, Leonhardt ou autres Gardiner et Christie. Pour autant, la superbe harmonie de ses *Concertos brandebourgeois* de 1966, l'extraordinaire cathédrale sonore de sa *Messe en si*, en 1953, architecturée avec soin *et* avec souffle, portée de surcroît par un quatuor vocal exceptionnel (Elisabeth Schwarzkopf, Marga Hoffgen, Nicolaï Gedda, Heinz Rehfuss), la bouleversante *Passion selon saint Matthieu* de 1972, ciselée, creusée dans ses détails, unifiée dans son déploiement, ces enregistrements et quelques autres donnent une idée du Bach de Karajan – un Bach de haute stature, marmoréen, recueilli mais pourtant ourlé de tendresse. De ce point de vue, le *Concerto pour violon* en mi majeur qu'il réalise en 1984 avec

Anne-Sophie Mutter et la Philharmonie de Berlin est un sommet exemplaire de l'art de Karajan : pureté quasi extatique du son, élévation spirituelle inscrite dans l'absolue beauté sonore, et cette tendresse frémissante que Karajan semble accueillir avec sérénité.
Tout différent est son rapport à Beethoven. Si l'on s'en tient aux symphonies – qu'il a enregistrées à quatre reprises dans leur intégralité : en 1953 avec l'Orchestre Philharmonia, en 1962 avec la Philharmonie de Berlin, en 1977, toujours avec la Philharmonie de Berlin, et en 1983 avec la Philharmonie de Berlin encore une fois –, on peut observer non seulement d'étonnantes variations de durée (de plus en plus réduite), mais aussi des variations de tempo, d'intensité, de phrasés : Karajan épure de plus en plus son style, l'allège, le modernise, en accélérant le tempo pour atteindre l'arête du son. D'ailleurs, les enregistrements de symphonies isolées (une *Neuvième* avec la Philharmonie de Vienne en 1947 – et avec, entre autres, la jeune Schwarzkopf ,

Karajan épure de plus en plus son style, l'allège, le modernise, en accélérant le tempo pour atteindre l'arête du son

Karajan et les quatre B

une *Septième* encore avec la Philharmonie de Vienne
en 1960) viennent confirmer cette continuelle
évolution : celle d'un assouplissement du phrasé,
d'une finesse de plus en plus grisante, d'une densité
et d'une homogénéité qui, abandonnant peu à peu la
dimension héroïque, font des symphonies de
Beethoven un manifeste en acte de la beauté sonore
considérée comme un salut au monde.

Brahms s'inscrit pour Karajan dans la filiation
beethovénienne, tant à travers ses symphonies bien
sûr qu'à travers son *Requiem allemand*. Là encore,
il y reviendra à plusieurs reprises, enregistrant
l'intégrale des symphonies à deux reprises, en 1964
et en 1978, chaque fois avec la Philharmonie de
Berlin – mais il offrira aussi nombre d'autres
enregistrements séparés, une somptueuse
Première Symphonie en 1943 avec l'Orchestre
du Concertgebouw d'Amsterdam, réenregistrée
de manière non moins étourdissante en 1959 avec
la Philharmonie de Vienne. De même pour la
Deuxième, enregistrée à trois reprises, la *Troisième*,
enregistrée avec la Philharmonie de Berlin et avec
celle de Vienne, ou la *Quatrième*, enregistrée en
1955 avec le Philharmonia, avant de se déployer
somptueusement avec la Philharmonie de Berlin.
De même, le *Requiem allemand*, enregistré à trois
reprises, en 1947 avec la Philharmonie de Vienne,
Elisabeth Schwarzkopf, radieuse, et Hans Hotter, à
son apogée, en 1964 avec la Philharmonie de Berlin
et Gundula Janowitz, angélique, et en 1976 avec
la Philharmonie de Vienne et un José Van Dam

bouleversant, montre que Karajan n'arrête jamais
sa réflexion en acte sur la matière du son,
sa plasticité, sa beauté, sa musicalité comme
expression de l'équilibre du monde.
Le rapport de Karajan à Anton Bruckner, moins
spectaculaire en France où la grande architecture
brucknérienne demeure peu prisée, sans doute parce
que mal connue, n'a pas été moins constant :
une somptueuse intégrale des symphonies avec
la Philharmonie de Berlin en 1966 et de nombreux
enregistrements séparés de chacune, avec les
Philharmonies de Vienne ou de Berlin. Mais
c'est surtout, en avril 1989, enregistré à la fameuse
Musikvereinsaal de Vienne, l'ultime et bouleversant
témoignage de la *Septième Symphonie* de Bruckner,
avec la Philharmonie de Vienne : il ne lui reste plus
que trois mois à vivre et l'on a le sentiment,
en réécoutant le poignant *adagio* qui semble
s'étirer à l'infini, que le géant vient alors clore,
avec ce dernier salut immense, cet admirable
combat pour la Beauté – qu'il a gagné. ●

GUIDE D'ÉCOUTE

CD **1&2**

JOHANNES BRAHMS

CD 1 : Symphonies n° 1
Variations sur un thème de Haydn
Symphonies n° 2
CD 2 : Symphonie n°2 et 4

Johannes BRAHMS

> « Brahms n'est pas un comédien.
> **FRIEDRICH NIETZSCHE**

Par la place qu'elle occupe, la musique de Johannes Brahms n'est comparable, dans la carrière d'Herbert von Karajan, qu'à celle de Beethoven ou Mozart – deux des compositeurs qu'il dirigea et enregistra le plus. Dans le cas de Brahms, on recense très précisément 460 concerts au cours desquels Karajan aborda l'une de ses partitions, quand le nombre colossal d'enregistrements qu'il lui consacra, lui, montre bien sa passion pour le compositeur, incessamment repris et approfondi. Si le tout premier contact de Karajan avec la musique de Brahms remonte au 6 février 1924, lors d'une audition publique au Conservatoire de Salzbourg, au cours de laquelle le jeune musicien (alors pianiste) interprète sa *Sonate n° 3 en fa mineur*, il faut attendre les années 1930 pour voir figurer les premiers opus symphoniques de Brahms à son répertoire : Karajan est alors directeur musical de l'Opéra d'Aix-la-Chapelle, et en tant que tel, aborde la *Symphonie n° 1* le 8 décembre 1934, suivie de la *Symphonie n° 2*, le 26 octobre 1935, et de la *Symphonie n° 3*, le 5 mars 1936.

Johannes BRAHMS

Apprenant le *Concerto pour violon*, le *Requiem allemand* et le *Double Concerto* au cours de la même période, Karajan attendra en revanche avril 1938 pour faire sienne la *Symphonie n° 4*, lors, d'ailleurs, de son tout premier concert avec l'Orchestre philharmonique de Berlin, orchestre dont il deviendra, rappelons-le, chef à vie en 1954. C'est, par la suite, avec cet orchestre, que Karajan jouera le plus souvent la musique de Brahms, celle-ci étant comme la chair et le sang de la phalange berlinoise. Les *Symphonies n° 1* et *n° 2* de Brahms étaient les préférées

L'exécution de la *Symphonie n°1* fut un haut moment sonore. Elle fut rendue avec un sens de la grandeur et une intensité, qui ne pourraient laisser indifférent le plus insensible des auditeurs „

du maestro, qui les dirigea respectivement 144 et 134 fois, autrement dit presque deux fois plus que les *Symphonies n° 3* et *n° 4*, jouées « seulement » 50 et 61 fois. *Les Variations sur un thème de Haydn*, elles, apparaissent plus tardivement dans son répertoire, en 1955 précisément, pour ne revenir qu'assez irrégulièrement (27 fois en tout).

D'immenses vagues

Durant plus de cinquante ans, les lectures de Brahms d'Herbert von Karajan furent unanimement louées. Voici, par exemple, ce que relate le quotidien *Le Soir*, lors de la tournée du Philharmonique de Berlin à Bruxelles en juin 1958 : « L'exécution de la *Symphonie n° 1* de Brahms fut un haut moment sonore. Elle fut rendue avec un sens de la grandeur, un sentiment héroïque et pathétique, une intensité d'expression où chaque phrase est chargée d'une éloquence persuasive qui ne pourrait laisser indifférent le plus insensible des auditeurs. L'*andante* fut tout pénétré de tendresse et de passion, l'*allegretto grazioso* eut un charme et une séduction vraiment délicieux, tandis que le finale fut tout agité de tumulte, submergé par la houle envahissante. Finalement, le thème joyeux apparaît et se transmue en accents triomphants. » Vingt-quatre ans après, lors d'une nouvelle tournée de Karajan et ses musiciens aux États-Unis, l'enthousiasme est à son comble, et Andrew Porter, dans ses *Musical Events : A Chronicle* 1980-1983 (New York, 1987), rapporte que « le troisième concert, avec les *Première* et *Troisième Symphonies* de Brahms, a montré Karajan sous son jour le plus séduisant. Il s'agissait là d'interprétations naturelles, émouvantes et, osons le dire, profondes ; des voyages à travers des paysages familiers mais contemplés d'un œil neuf, dans un nouvel état d'esprit, en compagnie d'un guide disposé ici à prendre son temps, là à s'extasier ; un aboutissement auquel beaucoup de ses exécutions précédentes, moins intimes, avaient déjà conduit. » Enfin, signe que Brahms ne quitte jamais Karajan, la *Symphonie n° 1* est aussi à l'affiche, en octobre 1988, de ce qui sera l'ultime concert du chef d'orchestre à Paris : « Ce fut de bout en bout une exécution somptueuse d'un lyrisme intense, d'une émotion continue et même d'une amoureuse tendresse, écrit Pierre Petit dans *Le Figaro*, Karajan a donné là tout le meilleur d'un immense talent qui avant tout

" S'il y a **quelqu'un** ici que je n'ai pas **insulté**, je lui demande pardon "

Johannes Brahms

sait privilégier les vertus de l'orchestre. Ces immenses vagues qui semblaient naître du néant pour venir nous submerger, ces *crescendos* pratiquement infinis, ces éclats d'une insoutenable profondeur, ces longues phrases largement étirées, nous ont comblés d'un plaisir qui dépassait singulièrement l'hommage mondain rendu à un artiste entré depuis longtemps dans sa propre légende. »

Historique

La discographie Brahms de Karajan est, évidemment, historique – tant par la qualité que par la quantité de pages enregistrées et surtout réenregistrées... Cette discographie se distingue déjà par quatre intégrales des symphonies, gravées entre 1963 et 1987 – toutes avec l'Orchestre philharmonique de Berlin. Enfin, plusieurs enregistrements séparés de ces symphonies apparaissent ici et là, avec différentes formations comme le Concertgebouw d'Amsterdam, l'Orchestre philharmonique de Vienne, ou encore le Philharmonia Orchestra (l'orchestre de ce coffret avec lequel Karajan immortalise, entre 1952 et 1955, la totalité des œuvres entendues ici). Outre plusieurs versions du *Concerto pour piano n° 2* ou du *Concerto pour violon*, l'*Ouverture tragique* et *Un Requiem allemand* seront les pages de Brahms les plus réenregistrées par le maestro – on compte même, entre 1947 et 1983, six versions du *Requiem* ! S'il ne possède ni le passé ni la tradition de l'Orchestre philharmonique de Berlin, le Philharmonia Orchestra – figure centrale de ce volume – reste l'un des meilleurs orchestres du XXᵉ siècle, statut qu'il conserve sans aucun doute de nos jours encore. Le Philharmonia Orchestra voit le jour en 1945, grâce au producteur Walter Legge (et le soutien financier d'un riche

Johannes BRAHMS

Maharadjah indien !). Dès sa naissance, le Philharmonia est pensé comme un orchestre de studio, pour enregistrer les plus belles pages du répertoire symphonique et lyrique dans des conditions optimales. Son premier concert a lieu en 1946, dirigé par le Britannique sir Thomas Beecham, avant qu'Herbert von Karajan n'en prenne la direction musicale en 1950. Quelque temps auparavant, Legge a pris contact avec quelques artistes, à Vienne ; et c'est là qu'il a engagé Karajan, musicien ambitieux et talentueux, qui s'est forgé une technique et un métier solides. Lorsqu'il prend la direction du Philharmonia Orchestra, Karajan enregistrera des disques qui figureront parmi les plus accomplis de l'histoire de la musique : le son qu'il cultive avec ses musiciens, qui saute aux oreilles dans ses Brahms de toute splendeur, est fait de nervosité et de brillant ; de sur-

Lorsqu'il prend la direction du Philharmonia Orchestra, Karajan enregistrera des disques qui figureront parmi les plus accomplis de l'histoire de la musique „

croît, le Philharmonia est une machine d'une grande virtuosité, souple, et d'un rare éventail de couleurs. Les Mozart, les Beethoven, les Sibelius, ou encore les Strauss (Johann comme Richard) du chef sont de parfaits exemples de l'excellence de cet orchestre alors fraîchement né – aussi époustouflant dans le répertoire symphonique que dans l'opéra. En 1955, Karajan quitte la direction du Philharmonia (pour prendre celle de l'Orchestre philharmonique de Berlin), mais continuera néanmoins durant plusieurs années à enregistrer avec la formation. Surtout, les qualités de l'orchestre acquises sous l'ère Karajan demeureront bien après le départ du chef autrichien. Cependant, l'histoire de ce prestigieux orchestre ne se réduit pas à ses années passées avec Karajan, loin de là. Avant lui, l'orchestre avait également collaboré avec l'Italien Arturo Toscanini, avec Wilhelm Furtwängler pour un *Tristan et Isolde* de Wagner historique et une version légendaire du *Concerto pour violon* de Beethoven avec Yehudi Menuhin ; en mai 1950, Furtwängler avait par ailleurs dirigé la soprano Kirsten Flagstad dans la création mondiale des *Quatre derniers lieder* de Richard Strauss. Après Herbert von Karajan, le Philharmonia aura pour directeurs musicaux ou chefs principaux Otto Klemperer (de 1955 à 1973), Lorin Maazel (chef principal associé entre 1971 et 1973), Riccardo Muti (chef principal entre 1973 et 1982), Giuseppe Sinopoli (entre 1984 et 1994), Christoph von Dohnanyi (entre 1997 et 2008). Depuis 2008, le Finlandais Esa-Pekka Salonen (né en 1958) est à la tête du Philharmonia Orchestra.

Ascension d'un génie

Johannes Brahms, que l'on considère généralement comme le successeur de Ludwig van Beethoven, est né à Hambourg le 7 mai 1833 et mort à Vienne le 3 avril 1897. C'est avec son père Johann Jacob (artisan de métier, mais aussi corniste et contrebassiste) que le jeune garçon débute l'étude de la musique. Puis vient le moment d'approfondir le piano – ce qu'il fait avec Kossel et Marxsen. Les progrès de l'enfant sont impression-

21

En compagnie de Jacques Chirac, alors maire de Paris, Herbert von Karajan, reçoit la médaille de la Ville de Paris en 1982.

22

"Une **symphonie**, ce n'est pas une **blague**"

Johannes Brahms

nants. « Un jour, rapporte son professeur, je lui avais donné à travailler un morceau de Weber après le lui avoir commenté en détail. À la leçon suivante, il me le joua d'une manière si irréprochable, si exactement comme je l'avais voulu, que je l'en félicitai. Je l'ai aussi travaillé d'une autre façon, me dit-il, et il me joua la partie de la main droite avec la main gauche. » Brahms n'a alors que douze ans. C'est à ce Marxsen, bien des années plus tard, que le compositeur dédiera la partition de son *Concerto pour piano n° 2*. L'enseignement de ce maître est capital, car Marxsen incite le jeune Brahms à ne pas « voir » que la pure virtuosité instrumentale, mais il l'ouvre aux grands maîtres que sont Bach, Beethoven, Weber, et lui dévoile les secrets de la composition. « Lorsque je commençai à lui enseigner la composition, note Marxsen, il montra une acuité d'esprit vraiment très rare et qui me plongea dans un véritable ravissement. Et, pour insignifiants qu'aient été ses premiers essais de composition, j'y vis la marque d'un esprit qui, j'en étais convaincu, recelait un talent exceptionnel et profondément original. Dès lors, je ne m'épargnais ni peines, ni fatigues pour éveiller et cultiver ce talent, pour former un futur prêtre de l'art qui pourrait, par son œuvre, prêcher dans un langage nouveau ses principes sublimes, vrais et éternels. » C'est ainsi que la composition occupe une place sans cesse plus importante dans la vie de l'adolescent, qui écrit par exemple, à l'été 1847, ses premières pages vocales. Pour autant, le jeune Johannes Brahms ne néglige pas le piano : il donne des leçons, joue au cabaret, puis à compter de l'année 1848, se produit en récital – il n'a que quinze ans ! Voilà ce qu'un journal de Hambourg rapporte cette année-là : « L'exécution d'une des fantaisies

Johannes BRAHMS

de Thalberg par un jeune virtuose du nom de J. Brahms a fait grande impression ; celui-ci ne s'est pas fait seulement remarquer par une grande facilité, de la précision, de la clarté, de la puissance et de l'assurance, mais provoqua l'émerveillement général et s'attira les applaudissements unanimes par l'intelligence de son interprétation. » Outre le piano, Brahms passe aussi énormément de temps à lire et à s'enrichir d'auteurs comme Schiller, E.T.A. Hoffmann, Jean-Paul, Goethe, ou bien encore Sophocle, le Tasse, Dante… En 1850, il découvre la musique de Robert Schumann, qui l'intrigue, le questionne et le bouleverse profondément. Lorsque Clara et Robert Schumann viendront se produire à Hambourg, à la fin de l'année 1850, Brahms ira tout naturellement les entendre et subira une influence décisive. 1851 est l'année de la première audition publique de la première œuvre « officielle » de Brahms – le *Scherzo pour piano* opus 4. À Hambourg également,

Ainsi naît l'une des grandes amitiés de la vie du compositeur, car sa rencontre avec Joachim sera capitale, notamment en 1879, lorsqu'il créera son *Concerto pour violon*

Brahms rencontre un beau jour Eduard Remenyi, violoniste juif d'origines hongroise et allemande. Après un premier concert qui les réunit de façon impromptue, les deux artistes se retrouveront régulièrement pour jouer ensemble, à Hambourg et aux alentours, pour le plus grand plaisir du public, qui apprécie notamment la virtuosité et la fantaisie de cet incroyable violoniste ; ce dernier n'aime rien tant que glisser des couleurs tziganes dans les concertos de Mozart, et improviser avec Brahms sur les rythmes hongrois comme les *czardas*, les *friskas* et les *kalakas*... C'est Remenyi, on le voit, qui transmet à Brahms l'héritage des mélodies tziganes, qui le marqueront tant (songeons à ses futures *Danses hongroises* !). S'ensuivent plusieurs mois de tournées dans toute l'Allemagne, où les jeunes gens jouent de ville en ville, établissant une véritable complicité. À Hanovre, Remenyi présente à Brahms un violoniste avec qui il a fait ses études à Vienne, un certain Joseph Joachim, virtuose qui a ébloui les scènes de concert dès son plus jeune âge. Fort célèbre déjà à cette époque, Joachim rapportera son émerveillement en découvrant ce jeune Brahms, relativement inconnu alors : « Les deux compagnons étaient venus me faire visite, deux compagnons si dissemblables : Johannes, tendre, idéaliste, et le virtuose fantastique et vaniteux. Jamais dans le cours de ma vie d'artiste je n'ai été comblé d'une surprise aussi merveilleuse que lorsque le camarade de mon compatriote, blond et intimidé, me joua les mouvements de sa sonate, que je trouvai d'une force et d'une originalité inimaginables, tout en même temps que noble et inspirée. (...) Il n'est pas étonnant que j'aie non seulement prévu, mais bel et bien prophétisé une fin très proche à la collaboration avec Remenyi. Brahms devait se séparer de lui peu après, et, vite soutenu par l'intérêt enthousiaste qu'il suscitait, devait se lancer fièrement en avant sur sa propre voie. » Ainsi naît l'une des grandes amitiés de la vie du compositeur, car sa rencontre avec Joachim sera capitale, notamment en 1879, lorsqu'il

Sur le tarmac, Herbert
von Karajan et son épouse
Eliette, s'apprêtent
à embarquer.

"Il n'est pas **difficile** de **composer**. Ce qui l'est nette-ment plus, c'est de se **débarrasser** des **notes superflues**"

Johannes Brahms

créera son *Concerto pour violon*. Homme de vaste culture, Joachim connaît remarquablement le milieu musical de l'époque, Franz Liszt, par exemple, dont Brahms va faire la connaissance… Les liens avec Remenyi, quant à eux, seront progressivement rompus.

Des régions enchantées

Alors que Brahms continue à composer (notamment les lieder opus 3 et opus 6), une autre rencontre, amicale et artistique, décisive mérite d'être mentionnée : celle de Clara et Robert Schumann. Si le grand maître allemand Robert Schumann a simplement noté dans son agenda qu'il devait recevoir, un matin, un certain « Monsieur Brahms, de Hambourg », il se souviendra en ces termes de sa rencontre avec Brahms : « Il est arrivé, cet homme au sang jeune, autour du berceau de qui les Grâces et les Héros ont veillé. Il a pour nom Johannes Brahms. Il vient de Hambourg où il travaillait en silence et où un professeur excellent et enthousiaste l'instruisait des règles les plus difficiles de son art ; il m'a été présenté récemment par un maître estimé et bien connu. Il portait tous les signes extérieurs qui proclament : 'Celui-là est un élu'. À peine assis au piano, il commença de nous découvrir de merveilleux pays. Il nous entraîna dans des régions de plus en plus enchantées. Son jeu, en outre, est absolument génial ; il transforme le piano en orchestre aux voix tour à tour exaltantes et gémissantes. Ce furent des sonates, ou plutôt des symphonies déguisées ; des chants dont on saisissait la poésie sans même connaître les paroles, tout imprégnés d'un profond sens mélodique ; de simples pièces pour piano tantôt démoniaques, tantôt de l'aspect le plus gracieux ; puis des sonates pour piano et violon, des quatuors à cordes, chaque œuvre si différente des autres que chacune paraissait couler d'une autre source. Et alors il semblait qu'il eut, tel un torrent tumultueux, tout réuni en une même cataracte, un pacifique arc-en-ciel brillant au-dessus de ses flots écumants, tandis que des papillons folâtrent sur ses berges et que l'on entend le chant des rossignols. Si, outre cela, il plonge sa baguette magique dans le gouffre où la masse des chœurs et de l'orchestre lui prête sa puissance, nous pouvons nous attendre à des aperçus plus merveilleux encore sur les mystères du monde des esprits. »

Robert Schumann, mentor de Brahms (et aussi Clara, avec qui il entretiendra une longue amitié) a vu juste sur cet « homme au sang jeune ». Et ne se trompe pas lorsqu'il l'imagine « plonger » dans les chœurs et l'orchestre (comme Schumann, d'ailleurs, Brahms composera quatre symphonies). Mais chez Brahms, bien des années s'écouleront avant que ces symphonies ne prennent leur forme. Si son *Concerto pour piano n° 1* voit le jour le 22 janvier 1859 (avec Brahms au piano, et Joachim à la direction), sa première œuvre pour orchestre seul, une *Sérénade pour orchestre*, ne voit le jour qu'en 1858 – Brahms occupe alors le poste de directeur de la musique à la cour de Detmold. Revenu à Hambourg, Brahms compose, encore et toujours, notamment de grandes œuvres pour le piano – *Variations sur un thème de*

Robert Schumann, son mentor, ne se trompe pas lorsqu'il l'imagine plonger dans les chœurs et l'orchestre...

Haendel, Variations sur un thème de Robert Schumann, pour piano à quatre mains, dédiées à « Mademoiselle Julie Schumann », troisième fille de Clara et Robert – mais aussi des pages vocales, comme les *Trois quatuors vocaux opus 31,* etc. Toutefois sa ville natale ne répond pas à ses espoirs, et en 1862, Brahms part découvrir la ville de Vienne. Quelle révélation ! La ville lui plaît, et les critiques de ses œuvres s'avèrent plutôt élogieuses. C'est le moment pour Brahms de faire un dernier voyage à Hambourg… et de lui faire ses adieux pour venir s'installer définitivement à Vienne. Là vont naître ses plus grands chefs-d'œuvre.

Classique et romantique

Bien des années passent entre l'installation à Vienne et le « retour » à la composition orchestrale pure – les deux premières symphonies de Brahms voient le jour en 1876-1877. À cette époque, le compositeur a notamment écrit son *Requiem allemand,* mais aussi la *Rhapsodie pour contralto, chœur d'hommes et orchestre.* Il semble que Brahms ait ressenti le besoin, d'abord, d'écrire un premier *Concerto pour piano,* des sérénades et les fameuses *Variations sur un thème de Haydn* pour, au milieu des années 1870, « oser » enfin aborder la grande forme symphonique. Les *Variations sur un thème de Haydn,* écrites à Tutzing, sont créées à Vienne le 2 novembre 1873, sous la direction de Brahms lui-même (une seconde version, pour piano, existe aussi). Le thème, *andante,* est d'allure sereine, noble. En fait, ce « *Choral de Saint-Antoine* » n'est pas du tout de Josef Haydn, mais consiste en un thème populaire ancien attribué par erreur à Haydn. Huit variations se succèdent, plus un *finale* en forme de passacaille : Brahms fait

33

"Son **jeu** est plein de feu, d'une **énergie fatale**, et d'une **précision** rythmique qui révèlent **l'artiste**"

Ludwig van Beethoven

montre de sa grande maîtrise de l'orchestration, mais aussi de son art aigu du contrepoint. Voici la puissance toute romantique coulée dans une forme de grande rigueur, la plus classique qui soit. À Vienne, cette nouvelle pièce de Brahms sera très appréciée, et la critique regrettera même, vu l'ampleur de l'œuvre, que Brahms n'écrive pas de symphonies... Ce sera pour bientôt.

Au plus près de Beethoven

Si Brahms achève (tardivement ?) sa *Symphonie n° 1*, on dit qu'il y travaille depuis 1854 – soit peu de temps après sa rencontre avec Robert Schumann. Pourtant, l'essentiel de cette colossale partition est terminé entre 1874 et 1876. Le premier mouvement *allegro* s'ouvre sur un *poco sostenuto* d'une force dramatique implacable. Suivent un *andante sostenuto* raffiné et plein de chaleur, avec cette lumière typique de Brahms, puis enfin un troisième mouvement délicieusement pastoral, noté *un poco allegretto e grazioso*. Commence alors le grand quatrième mouvement, le plus développé *(adagio – piu andante – allegro non troppo ma con brio – piu allegro)*, qui montre là encore le degré d'accomplissement de Brahms dans l'écriture contrapuntique et orchestrale. Cette musique « pure » (par opposition à la musique « à programme » inventée par Liszt ou la musique dramatique wagnérienne, par exemple, qui raconte une histoire et des personnages) atteint des sommets de force et d'expressivité par sa beauté, son architecture et sa puissance conjuguées. Felix Otto Dessoff est le premier chef à diriger cette *Symphonie n° 1*, à Karlsruhe, le 4 novembre 1876. Le célèbre critique viennois Eduard Hanslick, l'un des plus influents de tout le XIXᵉ siècle, sans doute, écrit cette critique élogieuse dans *Die Neue Freie Presse* :

Johannes BRAHMS

« Dans cette œuvre, l'étroite affinité de Brahms avec l'art de Beethoven s'impose avec évidence à tout musicien qui ne l'aurait pas encore perçue. La nouvelle symphonie témoigne d'une volonté énergique, d'une pensée musicale logique, d'une grandeur de facultés architectoniques, et d'une maîtrise technique telles que n'en possède aucun compositeur vivant. Ce serait une sottise regrettable que de vouloir critiquer une œuvre aussi sérieuse et d'une compréhension délicate après ne l'avoir entendue qu'une fois. Certains auditeurs auront pu trouver cette musique plus ou moins claire, et celle-ci aura pu résonner en eux avec plus ou moins de force ; la seule chose que l'on puisse dire, dont on puisse témoigner comme d'un fait indiscutable et indiscuté par ses amis comme par ses ennemis, est qu'il n'y a pas de

Dans cette œuvre, l'étroite affinité de Brahms avec l'art de Beethoven s'impose avec évidence à tout musicien qui ne l'aurait pas encore perçue

compositeurs qui aient été aussi proches des grandes œuvres de Beethoven que Brahms dans le *finale* de la *Symphonie en ut mineur*. »

« Du sang mozartien ! »

La *Symphonie n° 2 en ré majeur* est composée immédiatement après la *Symphonie n° 1*. Sa création a lieu le 30 décembre 1877 à Vienne, dirigée par Hans Richter. Le succès est immédiat, bien plus important encore que celui remporté par la *Symphonie n° 1*. On dit parfois que cette symphonie de Brahms est la plus accessible de toutes, en raison notamment d'un premier mouvement *allegro non troppo* d'une fluidité et d'une invention absolument miraculeuse. Comme dans le dernier mouvement de la *Symphonie n° 1*, Brahms invente quelques thèmes mélodiques de toute noblesse, calmes et profonds, et les intègre à une architecture d'une grande complexité. Les dernières mesures du premier mouvement s'achèvent « sur des étincelles de beauté mélodique » note Hanslick. Mais le mouvement lent *adagio con troppo* déploie lui aussi des trésors de poésie et de richesse, où l'invention musicale de Brahms se déploie devant nous avec un naturel inné, ordonné pourtant dans une forme la plus stricte qui soit. Il y a quelque chose de dansant et de spontanément radieux dans l'*allegretto grazioso*, *quasi andante*, du troisième mouvement, tandis que l'ultime mouvement, *allegro con spirito*, confirme ce parfait équilibre auquel Brahms atteint désormais – avec un *finale* cultivant « le sang mozartien » écrivit Hanslick. Cette symphonie, jugée « plus compréhensible » et de « caractère plus séduisant » que la précédente, fera dire aux Viennois qu'elle était « une image fidèle de la fraîche et saine vie qu'on ne peut mener que dans la belle ville du Danube… »

Une symphonie d'automne

L'ultime symphonie de Brahms, la *Quatrième*, appartient, comme la troisième, aux années 1883-1885. Les deux premiers mouvements sont écrits en 1884, et les deux autres l'année suivante. Avant de s'atteler à cet opus, Brahms a terminé d'autres chefs-d'œuvre symphoniques, comme le *Concerto pour violon* (1879) ou

> « Il est arrivé, cet **homme** au **sang jeune**, autour du **berceau** de qui les **Grâces** et les **Héros** ont veillé. Il a pour nom **Johannes Brahms**. Il vient de Hambourg »

Robert Schumann

encore le *Concerto pour piano n° 2* (1881). Cette
« Symphonie d'automne », pour reprendre l'expression
de Claude Rostand (à qui nous avons d'ailleurs em-
prunté l'essentiel des témoignages d'époque, reproduits
dans son *Johannes Brahms* paru chez Fayard en 1958) est
donnée pour la première fois le 25 octobre 1885 à
Meiningen, sous la direction de Brahms lui-même. Le
premier mouvement, *allegro non troppo*, expose d'em-
blée un thème mélodique plein de souffle, développé, là
encore, avec un geste et une invention souverains.
L'*andante moderato* du deuxième mouvement est une des
pages les plus merveilleuses du compositeur, la quin-
tessence de son style peut-être, par son lyrisme, sa hau-
teur de vue et sa force intrinsèque. Après un troisième
mouvement, *allegro giocoso* proche du *scherzo*, l'*allegro
energico e passionato* de l'ultime mouvement révèle une
dernière fois quel génial bâtisseur il est, avec une suite
de variations magistralement agencées, partant d'un
thème de huit mesures empruntées à la *Cantate
BWV 150 « Nach dir, Herr »* de Jean-Sébastien Bach.
« Ce mouvement, admiré à l'époque Bernhard Vögl
dans les *Leipziger Nachrichten*, est non seulement
construit de façon que sa science contrapuntique reste
subordonnée à son contenu poétique... Il ne peut être
comparé à aucune autre œuvre de Brahms et constitue
un cas unique dans la littérature symphonique du pré-
sent et du passé. » C'est cette même *Symphonie n° 4* de
Johannes Brahms qui, un jour, fera dire à Herbert von
Karajan, qu'elle est « l'une des rares symphonies, comme
la *Sixième* de Mahler ou la *Quatrième* de Sibelius, à se
terminer sur un véritable désastre de l'âme »... Et vous,
qu'y percevez-vous ? ●

THIBAULT BOUCHARD

> "Maintenant, je voudrais faire passer le **message** vraisemblablement surprenant que ma **symphonie** est **longue** et pas vraiment **aimable**"

Johannes Brahms

JOHANNES
BRAHMS
EN QUELQUES DATES

Johannes BRAHMS
en quelques dates

■ 1833
Il naît dans les quartiers pauvres de Hambourg le 7 mai

■ 1843
Il donne son premier concert public à Hambourg

■ 1847
Mort de Félix Mendelssohn, le 4 novembre,
à Leipzig

■ 1848
Il rencontre le violoniste virtuose Eduard Reményi
avec lequel il collabore

■ 1850
Il assiste à un concert donné à Hambourg
par Clara et Robert Schumann

■ 1854
Hans von Bulow interprète pour la première fois
une œuvre de Johannes Brahms en public,
le 1er mars, à Hambourg

■ 1856
Mort de Robert Schumann, le 29 juillet

■ 1862
Il fait la rencontre de Richard Wagner

■ 1864
Il démissionne de la Singakademie pour
se consacrer pleinement à la composition

■ 1865
Mort de la mère du compositeur, le 2 février

■ 1868
Création triomphale de son *Requiem Allemand*
à Brême, le 10 avril

■ 1872
Il dirige les concerts de la Société des amis
de la musique jusqu'en 1875

■ 1873
Il compose sa première partition véritablement
symphonique, les *Variations pour orchestre
sur un thème de Haydn*

■ 1876
Il termine la composition de sa *Première symphonie*

■ 1879
Création par Joseph Joachim du *Concerto
pour violon*, le 1er janvier à Leipzig

■ 1884
Il décline l'offre qui lui est faite de prendre
la direction du Conservatoire de Cologne

■ 1896
Disparition de Clara Schumann, le 20 mai

■ 1897
La Société Philharmonique crée en sa présence,
sa Quatrième symphonie, le 7 mars.
Le compositeur meurt à Vienne le 3 avril,
des suites d'un cancer du foie.

LES MOTS
DU CLASSIQUE

LES MOTS
DU CLASSIQUE

CADENCE : La cadence correspond à la phrase conclusive d'un morceau, ou à la formule mélodique ou harmonique concluant une phrase musicale. Par extension, ce terme désigne une improvisation placée le plus souvent avant la fin d'un mouvement, et permettant au soliste de faire preuve de sa virtuosité.

CLASSIQUE : Si le terme a bien sûr aujourd'hui d'autres usages, dans le domaine de l'histoire de la musique, l'ère classique est celle qui succède au baroque, et s'étend de la mort de Bach (1750) à 1800 (Beethoven a trente ans). Ses principaux caractères sont la disparition du continuo et l'importance accrue donnée à l'harmonie, au détriment du contrepoint. C'est Joseph Haydn qui assura la transition vers le classique, que Wolfgang Amadeus Mozart s'employa à magnifier.

CONCERTO : Le mot « concerto » provient du latin *concertare* (lutter, rivaliser) : il désigne l'opposition et le dialogue d'un seul instrument (ou groupe d'instruments) avec une formation orchestrale. Née au XVIIe siècle en Italie, cette forme se développa au cours du siècle suivant pour devenir avec Mozart, Haydn, Beethoven et les romantiques, symbole de virtuosité. Le piano (de Haydn et Mozart à Ravel et Bartók), le violon (Mozart, Beethoven, Brahms...), voire le violoncelle, en sont les instruments élus. À l'époque baroque, le concerto grosso a désigné en particulier une forme plus courte dans laquelle un ensemble de solistes (le *concertino*) s'oppose à un orchestre de taille réduite (le *ripieno* ou *concerto grosso*), par opposition au concerto de soliste. Corelli, Bach, Vivaldi, Haendel ont écrit de fameux *concerti grossi*.

CONTREPOINT : Par contrepoint (contraction du latin *punctus contra puctum* : « note contre note ») on désigne l'art de composer, de combiner et de conduire plusieurs voix ou mélodies (polyphonie). Cette technique particulièrement complexe, qui se développa durant la Renaissance et l'époque baroque, utilise comme matériau premier des lignes mélodiques simultanées, au contraire de l'harmonie. Le canon, et surtout la fugue, sont des exemples d'une écriture contrapuntique dont Johann Sebastian Bach demeure le plus grand des dépositaires.

CRESCENDO : Le *crescendo* (« croissant » en italien), qui s'oppose au *decrescendo*, est une indication de nuance désignant, à partir du XVIIIe siècle, l'augmentation progressive de l'intensité du son. Il s'est vu confier de plus en plus d'importance à mesure que s'amplifiaient les effectifs orchestraux. Le *Boléro* de Ravel est l'exemple parfait d'un long *crescendo* obtenu par accumulation successive d'instruments.

FANTAISIE : La fantaisie désigne une pièce instrumentale sans forme précisément définissable, et présentant parfois le caractère de l'improvisation. D'abord essentiellement réservé au piano et au clavecin, le genre se développa ensuite autour du piano et de l'orchestre, prenant souvent pour objet un thème développé ensuite à l'envi.

HARMONIE : L'harmonie se distingue de la mélodie, qui ordonne « horizontalement » une succession de notes : c'est l'empilement « vertical » de notes sous forme d'accords (accords parfaits, majeurs, mineurs…), dont la combinaison, suivant des règles très strictes, est à la base de la musique tonale (qui s'appuie sur le principe de la tonalité), et s'oppose à la musique dodécaphonique.

LEGATO : Jouer *legato* (« lié » en italien), c'est jouer sans détacher les notes et sans interruption entre les sons. Ce terme fait son apparition vers la fin du XVIIIe siècle et s'oppose au jeu non *legato* et au jeu *staccato* (« piqué », « détaché »).

MÉLODIE : La mélodie désigne d'une part la succession des différentes notes qui, s'opposant à l'harmonie, constitue avec celle-ci le paramètre fondamental de l'histoire de la musique. D'autre part, le terme correspond également à une pièce vocale avec ou sans accompagnement.

OPÉRA : L'opéra, l'un des genres les plus féconds de l'histoire de la musique occidentale, a fait son apparition en Italie vers le début du XVIIe siècle. Il s'agit d'une sorte de pièce de théâtre mise en musique, dans laquelle texte, intrigue et musique ont une importance égale. Les multiples aspects techniques (décors, costumes, lumières, chorégraphies…) font d'un opéra une véritable œuvre d'art « total ». L'opéra n'a pas de forme bien précise en dehors des éléments fondamentaux que sont l'ouverture (introduction instrumentale), le récitatif vocal ou les dialogues parlés, les airs, les intermezzos et les finales conclusifs. L'opera seria, l'opera bufa, le bel canto, le Singspiel allemand, l'opéra vériste… sont autant de genres à part entière. *Dafné* (1594), du Florentin Jacopo Peri, est la première œuvre du genre répertoriée (mais elle est aujourd'hui perdue) ; elle sera suivie de très nombreux chefs-d'œuvre signés par les plus grands compositeurs.

LES MOTS
DU CLASSIQUE

OUVERTURE : Toutes les grandes œuvres chantées, de même que certaines œuvres comportant plusieurs mouvements, sont en général introduites par un prélude instrumental : l'ouverture. Jusqu'au XVIIIe siècle, où elle peut être « à la française » ou « à l'italienne », l'ouverture est régie par des règles très strictes.

QUINTETTE : Né en même temps que le quatuor à cordes, ce dernier genre consiste soit en un quatuor à cordes dans lequel l'alto ou le violoncelle est doublé, soit en un quatuor augmenté d'un instrument (le piano, la clarinette), soit encore en un ensemble constitué librement. Outre le quatuor et le quintette, des œuvres de musique de chambre ont été composées pour trois (trio), six (sextuor), sept (septuor) ou huit instruments (octuor).

SYMPHONIE : Forme majeure de la musique classique issue des différentes formes de la musique baroque, la symphonie prend son aspect définitif à l'époque classique. Il s'agit d'une œuvre orchestrale en trois ou quatre mouvements : un premier modéré de forme sonate, un second lent, un menuet (ou à partir de Ludwig van Beethoven, un *scherzo*) et un ultime animé. Si Mozart ou Haydn confèrent à la symphonie sa forme classique, Beethoven va être à l'origine d'une petite révolution. La symphonie sera après lui investie d'un contenu personnel ou programmatique. Les dimensions vont peu à peu s'amplifier et les œuvres de Bruckner ou de Mahler vont frapper par leur gigantisme.

TRIO : Sous sa forme classique, le trio est composé par le piano, le violon et le violoncelle. Il fascina les plus grands compositeurs. Mais à côté de ce trio classique, on trouve également le trio à cordes (violon, alto, violoncelle) et le trio d'anches (hautbois, clarinette, basson).

VARIATION : Par œuvre à variations, on entend une œuvre pour instrument seul ou pour orchestre, formée par un thème qui est ensuite repris et décliné dans une série de différentes « versions » dans lesquelles le thème, les harmonies, les timbres ou les rythmes peuvent varier. Parfois, c'est la base harmonique d'une pièce qui peut tenir lieu de thème, parfois également le thème peut être pris chez un autre compositeur.

LES MERVEILLES DU CLASSIQUE

PAR KARAJAN

En raison de son succès,
la collection s'enrichit de
20 nouveaux titres,
à découvrir
dès le 28 mai 2010.

Chaque vendredi chez votre
marchand de journaux

© S. Lauterwasser/Lebrecht/Rue des Archives

Les indispensables du classique par

n°21 RICHARD WAGNER - *28 mai*
Maîtres chanteurs, Siegfried, Or du Rhin, Lohengrin, Vaisseau, Tristan...
(extraits)

n°22 WOLFGANG AMADEUS MOZART - *4 juin*
La Flûte enchantée (Seefried / Kunz / Lipp / Dermota)

n°23 GIUSEPPE VERDI - *11 juin*
Requiem + Ouvertures et préludes d'opéras italiens

n°24 LUDWIG VAN BEETHOVEN - *18 juin*
Fidelio

n°25 CHRISTOPH W. GLUCK - *25 juin*
Orphée & Eurydice

n°26 PIOTR ILITCH TCHAÏKOVSKI - *2 juillet*
Symphonies 4, 5 & 6 « Pathétique »

n°27 RICHARD WAGNER - *9 juillet*
Walkyrie, extraits actes 1 & 3

n°28 GAETANO DONIZETTI - *16 juillet*
Lucia di Lammermoor (Callas / Di Stefano)

n°29 RICHARD STRAUSS - *23 juillet*
4 derniers lieder + Don Juan, Mort et Transfiguration, Chevalier à la rose,
Ariane, Salomé (extraits)

n°30 WOLFGANG AMADEUS MOZART - *30 juillet*
Cosi fan tutte (Schwarzkopf)

LE PLUS GRAND DES CHEFS D'ORCHESTRE

n°31 GIUSEPPE VERDI - *6 août*
Don Carlo

n°32 KARAJAN ET LE XXe SIECLE - *13 août*
Respighi : Pins de Rome. Bartok : Concerto pour orchestre.
Stravinsky : Jeu de cartes…

n°33 GIUSEPPE VERDI - *20 août*
Falstaff (Schwarzkopf)

n°34 JOHANNES BRAHMS - *27 août*
Concerto pour violon (Milstein) + Concerto piano n° 2

n°35 JEAN SIBELIUS - *3 septembre*
Symphonies 4, 5, 6 & 7

n°36 WOLFGANG AMADEUS MOZART - *10 septembre*
Don Giovanni

n°37 LUDWIG VAN BEETHOVEN - *17 septembre*
Missa Solemnis / Moussorgski : Tableaux d'une exposition

n°38 ANTON BRUCKNER - *24 septembre*
Symphonies 5, 8, Te Deum

n°39 KARAJAN SPECTACULAIRE ! - *1er octobre*
Hændel - Water Music, Offenbach - La Gaîté Parisienne,
Les Contes d'Hoffmann

n°40 W.A. MOZART & J. BRAHMS - *8 octobre*
Requiem / Requiem allemand

LES MERVEILLES DU CLASSIQUE

PAR KARAJAN

Chaque vendredi :

/ 2 CD + 1 livret illustré de 48 pages

/ Les plus beaux chefs-d'œuvre du classique

/ Une édition entièrement remasterisée

/ La vie d'Herbert von Karajan racontée par Alain Duault

Le cadeau idéal pour les mélomanes et ceux qui veulent découvrir la musique classique, dirigée par le plus grand des chefs d'orchestre